KB103438

네 이름엔 파도가 치네

네 이름엔 파도가 치네

발　행 | 2023년 12월 26일
저　자 | 김도연
펴낸이 | 한건희
펴낸곳 | 주식회사 부크크
출판사등록 | 2014.07.15.(제2014-16호)
주　소 | 서울특별시 금천구 가산디지털1로 119 SK트윈타워 A동 305호
이메일 | info@bookk.co.kr

ISBN | 979-11-410-6230-9

www.bookk.co.kr

네 이름엔 파도가 치네

김도연 지음

네 이름엔 파도가 치네

차례

I. 愛

II. 애정

III. 애증

작가의 말

내가 사랑하는 모든 것들에게

나를 이루는 가족,
나를 이루는 우정,
나를 이루는 여름,
나를 이루는 고양이,
나를 이루는 사진,
나를 이루는 복숭아,
나를 이루는 바다,
나를 이루는 시,
나를 이루는 책,
나를 이루는 베이스 기타,
나를 이루는 노래,
나를 이루는 비즈,
나를 이루는, 나를 창조한, 나를 살도록 하는 모든 것을

이 책을 바칩니다.

Ⅰ. 愛

무언가를 사랑하는 마음과
그 마음을 감당하며 품은 고민을 담아

영원

영원했으면 하는 것이 있다.

떨어지는 벚꽃이라든지,
네 노래를 듣는 순간이라든지,
조심스러운 고양이의 그루밍이라든지,
뜨거운 햇발 아래 철썩이는 파도라든지,
붉은빛 띠는 나무의 살랑임이라든지,
내 옆을 지키는 엄마라든지,
손끝 시려 은근슬쩍 잡는 손의 온기라든지,

사랑스러운 존재와
무언가를 좋아하는 마음,
무엇이든 도전하는 열정 따위의
영원을 바란다.

시간이 멈춰
누군가의 그리움을 해소시켜 주길
간절히 소망한다.

기억

흩날리는 눈꽃을 잡아보려
팔을 뻗어 애쓰는 행동이나,
두 손에 살포시 앉은 눈꽃에게
첫사랑이 이루어지길 비는 모습이
참으로 사랑스럽다.

네 사랑에
네 열정에
네가 간절히 비는 소원에
나도 들어가 있으면 좋겠다,

오늘도 나는 너를 소원한다.

다이어리

좋아하는 마음을 말로 표현하기가 부끄러워
자주 다이어리에 쓰곤 한다

내가 사랑하는 사람들,
내가 좋아하는 행동,
내가 애정하는 물건.

내가 사랑해 마지않는 것들을 꾹꾹 새겨 넣은
다이어리.

이해받지 못할까 봐 함부로 말할 수 없는 감정들.
언젠가 사랑하는 것들을
부끄러워하지 않으며 말할 수 있었으면 좋겠다

나는

어려운 게 뭘까

어릴 땐 무엇이든 척척 해내고,
도전에 두려움이 없었는데
요즘 들어 실패가 무섭다

수학 문제를 풀다가도
내가 다른 방향으로 가고 있을까 봐 무서워
중간중간 답지를 들여다보는 것도,

발표를 시키면
다른 이들과 의견이 다를까 봐
소심해지는 것도
다 내가 아닌 것만 같아진다

어릴 땐 내가 만화 속 주인공처럼
특별해지기만을 바랐는데,
이제는 남들과 비슷해지고 싶다

남들과 다른 점이 있으면
고쳐야만 할 것 같은 기분이 든다

너무 어렵다 내가

고래에게

고래를 봤다

거대한 바다 속을 헤엄치는 고래를 봤다

좁은 수조 속을 빙글빙글 돌기만 하는 고래를 봤다

네 마리의 고래가 옹기종기 붙어
헤엄치는 모습이
가슴 아팠다

드넓은 바다를 헤엄쳤을 고래들이
좁은 수조 속을 세상이라 생각할 것이
가슴 아팠다

물고기도, 해초도, 아무것도 없는
수조 속 작은 공 하나가 장난감인 고래가
가슴 아팠다

매끈한 아기 고래의 피부와는 달리 거친 어미 고래의
피부가 눈에 들어왔다

어떤 일을 겪었을까

아팠을까

힘들었을까

내가 원하는 건

무엇을 하고 싶은지
내가 무엇을 좋아하는지
내가 정말로 원하는 건 뭔지
궁금해하다 보면 오히려 무서워진다

내가 알던 내가 맞는가 싶다

어릴 땐 좋아하던 노래 부리기도,
지금은 그다지 좋아하지 않는 것.
어릴 땐 싫어하던 그림 그리기를,
이제는 잘하고 싶어진 것.

모두 나라고 할 수 있을까?
내가 스스로 생각해 좋아한다고 정의한 걸까,
누군가의 의도대로 좋아한다고 정의한 걸까?

남들에게 휘둘린 취향도,
내가 만들어낸 내 세상도

모두 내 것이라 할 수 있을까?

최선

사람들은 왜 후회할까?

무엇이 나를 돌아보게 했을까?

매 순간 최선을 다해 살아갔더라면 후회하지
않았을까?

그 순간 최선을 다해 사랑했더라면 후회하지
않았을까?

지나버린 시간을 되돌릴 순 없을까?

후회하지 않을 순 없을까?

나는 과연 최선을 다하고 있는 걸까?

Ⅱ. 애정

무언가를 사랑하는 마음을 담아
내가 느낀 감정이 비단 당신에게도
전해지기를 바랍니다.

카메라

그 찰나의 시간의 그 모습을 놓친 내 마음이 아쉬워해.＊

가사를 곱씹다 보면 어느샌가 공감하고 있는 구절

그때가 그리워서 일 때도 있고,
카메라에 담는 것만을 중시하다
두 눈으로 제대로 보지 못했기 때문일 때도 있고,
다시 돌아올 수 없는,
다신 경험하지 못할 순간이기 때문일 때도 있다.

후회하는 삶이 내게
얼마나 큰 아픔을 주는지 알면서도,
지나간 시간을 되돌리고 싶다며
후회하는 내 모습이

＊ V,풍경,2019

매 순간을 후회하지 않으려 열심히 살아가려
노력하면서도

내 뜻대로 되지 않고
결국 또다시 후회를 반복한다.

*

그 순간을 놓치지 않도록,
계속해서 기억할 수 있도록
사진으로 기록하기보다
그 순간을 온전히 느끼고 떠올릴 수 있도록

충분히 눈에 담아두고 경험할 것을.
이제서야.

청춘이라 생각하게 해

나도 모르는 새에 7월이 되고,
여름이 다가와 거리에 능소화가 잔뜩 핀 걸 보니
괜스레 떨린다.

나에겐 여름의 설렘도 뒤로 한 채 여름이면 문득
떠오르는 영화가 있다.

린전신,
너는 지금 좋아하는 사람과 사귀었겠지?
나는 타오민민과 사귀었고,
너는 오우양과 사귀었어.

우리가 처음에 말한 대로 이루어졌어.

이것이 너를 위해 내가 할 수 있는 유일한, 그리고
마지막 일일 것 같아.

린전신,
비록 너는 키도 작고 바보 같고,
다른 남학생을 좋아하지만,
그럼에도 나는 너를 정말 좋아해.

린전신,

만약 이 녹음을 다 들었다면 고개를 들고 하늘을 봐.

그럼 내가 사실 좋아했던 그 여자아이가 같은 하늘을
보고 있다는 것을 알 수 있을 테니까.

Aqui te amo. *

-<나의 소녀시대>

---

* 프랭키 첸(감독).(2016).나의 소녀시대[영화].오드 AUD

주인공의 여름 하복에 하얀 얼룩이 지는 그 계절에,
꼭 봤으면 하는 영화.

우리의 계절도, 이 여름도, 전부 영원했으면 하면서,

사랑해

만난 지 얼마 되지 않은 친구가 있다

그 친구는 정이 많고 애살스러워서
기껏해야 한 달 본 나에게도 한 달에 두 번꼴로
연락을 한다

그런데 그 문자 내용이 너무나도 따뜻해서
가끔은 눈물이 나올 때가 있다

' 선생님이 네가 누구냐고 묻는데, 그 자리에 네가
없어서 슬펐어. '

' 체육대회는 꼭 너랑 같이하고 싶었는데.. '

' 과자를 먹는데, 너랑 먹던 생각이 나서 좀 슬퍼.
사실 눈물이 나는 정도는 아니지만 대충 좀 많이
보고 싶어. '

' 너는 그때나 지금이나 너무 따뜻한 사람이야.
올겨울 따뜻하게 보내야 해. 우리가 첨 만난 게
쌀쌀할 때였는데, 벌써 또 찬 바람이 부는 계절이래.
너는 믿기니? 너무 보고 싶어. '

항상 그녀다운 말을 하는 그 친구의 연락이 오면,
너무 소중해서 읽기 두렵다

내 답장이 네 예쁜 말을 해치는 기분이 들어

어찌 이리 사랑스러운 것인지
어디서 받은 사랑을 흘러가는 인연이라고 생각했던
내게도 아낌없이 나눠주는 것인지 참 궁금한 사람

나도 누군가에게 이런 사람이 될 수 있을까?
생각만 해도 따뜻해지는 친구

그런 사람이 또 있을까

Ⅲ. 애증

무언가를 사랑하는 마음과
무언가를 미워하는 마음이 공존하는
가득 차버린 그 속을 비우려
쏟아낸 감정을
당신께 전합니다.

네 이름엔 파도가 치네

바다가 있다고 했다,
내 이름에는

바다의 물결이
파도가 친다고 했다,
내 이름에는

진짜 내 이름엔 바다의 '바'자도 없고
비슷한 뜻 하나 없는데

무슨 뜻이야?
백 도야, 네 이름은.
그 백 도? 진짜?
그럼 백도야, 네 이름은.
뭐라는 거야.

엄마 내 이름은 뭐야?
네 이름엔 바다가 있어.
항상 파도가 치고 있네.
엉뚱한 말을 하네, 둘 다.

물 따라 흐르는 대로 살다 보면 네가 길을 이끌고
있을 거야.

바다가 들렸다
복숭아 과육의 향내도 난다

내 이름엔 파도가 친다

내 심장을 두 쪽으로 떼어낸다면

왜 좋아해?
네가 날 좋아하는 이유를 말해 봐

일단 멜로디가 좋고,
둥둥 울리는 베이스도 좋고,
끝까지 쓰는 호흡도 좋고,
통기타 베이스인 것도 좋고,
킥 때문에 스피커가 터질 듯한 것도 좋고,
손에 쥐이는 감촉도 좋고,
씁쓸하면서도 비릿한 향도 좋고,
힘든 건 생각나지도 않게 해주는 것도 좋고,
이 세상에 나만 남은 것 같은 기분도 좋고,
모두 함께인 기분도 좋고,
모두가 날 바라보는 기분도 좋고,
다정하면서도 엄격한 기준도 좋고,
뭐든 할 수 있을 것 같은 열정도 좋고,

사랑한다고 말할 수 있는 용기도 좋고,

너랑 나를 이어주는 요소인 것도 좋고,

한 번뿐인 내 청춘을 앗아가는 것도 좋고,

그 안에 내가 속해진 것도 좋아.

너는?

나도 그래.

다행이다. 나는 나만 그런 건 줄 알았어.

헛되지 않았다는 거야, 우리 4년이.

다른 애들도 보고 싶다.

그러게.

걔네도 우리 같은 맘이겠지?

그럴 거야. 내가 느낀 만큼, 너도 느꼈잖아.

평생 그 시간에 머무르고 싶었는데.

그립다.

*

자작곡 한 번만 더 만들고 끝낼걸.

미련 남았어?

응. '처음부터 끝까지 내 힘으로 만들어 볼 걸.' 하는...

그리고 그런 것보다도, 하고 싶은 말이 많아, 그냥.

그게 뭔데?

만약 내가 우리를 노래로 만들면 꼭 이 말을 가사에
넣을 거야.

내 심장을 두 쪽으로 떼어낸다면
내 남은 반쪽에 남은 것들로 너희를 그릴 테야
붉은 향 가진 그것이 그림을 그리면
그 형태는 우리를 나타낼 거야
오래되어 빛바랜 감정이 아냐
항상 순간만을 떠올린 것처럼
뜨거운 상태일 거야
남은 내 반쪽 심장들이야
이게 내 안에 가장 깊은 너희야
이게 내가 그린 사랑이야

잉어

녹조 가득한 연못 아래
뻐끔뻐끔 올라오는 공기 방울들
붉은 오렌지 빛 가진 지느러미와
물속에서 숨을 쉬게 해주는 아가미
내 혼을 쏙 빼놓는 화려한 꼬리까지
어느 하나 눈을 뗄 수 없다

왜 그리 보느냐는 물음에,
남들은 넓디넓은 하늘을
자유롭게 나는 새들이 부럽다던데,

나는 깊고 깊은 저 심해를 가르는 그들이 부럽다

나도 한 번만 그 속을
들여다볼 수 있다면 좋을 텐데

무엇이 고여있을지 모르는 그 미지의 세계에
나도 한 번 발 담가보고 싶어
어찌 될지 모르지만
그래도 믿어보고 싶어
어딘지 모르지만 그 끝까지 가보고 죽고 싶다

그리 생각만 한다

저기저거친파도의근원지는
아마내심장박동으로부터일거야

가슴 찡해지는 가사보다도,
흥얼거리며 뇌리에 맴도는 멜로디보다도,
톡톡 튀는 키보드보다도,
안정감을 주는 기타보다도,
절로 들썩이는 드럼보다도,

누군가는 차라리 바이올린을 배우겠다던 악기를
비록 주선율은 될 수 없지만
남은 빈 공간을 메워주는
솔레라미, 외우고 다니게 만들었던
엄마께 남은 내 용돈과 맞바꾸게 만들었던

줄을 쓸 때마다 왼쪽 손가락들에 전해지는 울림이,
쓰라린 손가락에 느껴지는 감각과
부풀어 오는 겉 피부가,
마디가 바뀔 때마다 바삐 움직이는 손과 눈이,
내 손길이 닿을 때마다 떨리는 진동이,

모든 걸 담았던
내 청춘,

노래 속 들려오는
저기 저 거친 파도의 근원지는
아마 내 심장박동으로부터 일 거야

Tik Tak Tok

흘러가는 시간이 아깝다
붙잡고 싶다
오래도록 묶어두고 싶다
도망가지 못하도록 어딘가에
나만 알 수 있게 숨긴 것을
내 손안에 움켜쥐고 싶다

내가 이런 생각을 하는 것은 모종의 이유가 있겠지
날 압박하는 것들
날 조종하는 것들
날 복종시키는 것들
날 나약하게 만드는 것들
날 집착하게 만드는 것들

현재를 입력하고 압축해 추억으로 남기는 것
그 가운데 트라우마처럼 호르몬 속 조직된 기억까지

그 무언가가 두려워서

다음 기약을 위해서

---

* 실리카겔, Tik Tak Tok, 2023

T를 위해

비 내리는 날씨가 싫지만은 않다던
투명한 영국발 부츠를 신어
물웅덩이 위를 첨벙첨벙 잘도 뛰어다니던

나는 비가 싫어
꿉꿉한 날씨도 싫어
부스스해지는 머리도 싫고
축축해진 바지 끝단도, 양말도, 신발도,
우산에 닿아 톡톡 슬퍼 우는 비의 울음소리도

너는 알겠지
그것만의 매력을

내가 너를 사랑하는 것처럼
너는 모든 걸 젖게 만드는 비를 사랑하는 거겠지

그렇다면 나도, 너를 위해
날 식히는 비까지 사랑해볼게

T를 위해 2

뙤약볕 아래 익을 듯한 햇발은
땅 끝까지 닿진 않았지만,
땅 속을 덥혔다
뜨거운 열기는 땅을 끓게 했고,
사람을 미치게 만들었다

스스로 어둠 속에 들어가 그 아래서 살던 T를
지상으로 끌어낸 햇발은 언제 그랬냐는 듯
다시 평소대로 돌아왔다

T가 달라지기만을 바란 건 아니다

사랑하며 살길 바랬다
부츠도 신고
비도 맞고
물웅덩이 위를 뛰어다니면서

돌려주세요

텁텁해진 목을 부여잡고
악착같이 버티던 시간들
그때를 기억합니다

남은 것들을 사랑해보겠다고
어떻게든 주워 담던
그때 그 순간들을 기억합니다

여태 함께한 시간이 아까워
엎질러진 마음을 한껏 주워 담는
내 모습을 기억합니다

기대는 사람을 들뜨게 합니다
들뜬상태는 사람을 분간하지 못하게 만듭니다
나는 그랬습니다

돌아가고 싶었습니다

다시 그 마음을 가졌을 때로
사랑하던 때로
당신 하나로 감사하던 그때로

노래만을 보고 살던 그때가 그립습니다
내 모든 것이라 여겼던 그때가 그립습니다

음악을 시작한 친구를 볼 때면
나도 모르게 힘이 듭니다
생각에 잠깁니다
나도 음악을 했더라면,
하는 그런 생각에

알 수 없습니다
나도 내가
왜 그런지를

아직도 나는 가끔 후회합니다

말줄임표

어느 날에
네가 내게 묻는다면
나는 어떤 대답을 할지 생각해 봤어.

첫사랑,
물고기,
바다,
능소화,
하동,
베이스,
새벽,
카메라,
시집,
복숭아,
장미,
숲,
별,

진실,
잡동사니,
도시,
한겨울,
새 공책,
화음,
.
.
.

내 대답이 이해가 가니?
내가 널 어떻게 부르면 좋을지 말이야.

내가 사랑해 마지않는 것들에
너도 포함된다는 것을
그 모든 것 중에서도
네가 제일이란 것을

17

끝나간다
내가 두려워했던 그 끝이 다가온다

나는 말야
조금 더 평온한 삶을 꿈꿨어
조금 더 안락한 삶을 꿈꿨어
조금 더 느린 삶을 꿈꿨어
조금 더 사랑하는 삶을 꿈꿨어

16과 17 사이를 바라보던 내가 꿈꾸던 것은
하나도 이루지 못했는데,
어떻게 18을 반길 수 있겠어

조금만 더 주라,
내게도
시간을
애정을

미워하도록 만들지 마세요
사랑하게 해주세요
남은 내 17을 평생 기억하게 만들어 주세요
잊을 수 없게 해주세요

찬란하게
미워할 수조차 없게
행복만 남게
내가 받아들일 수 있게
그저 미소만 지어지게
그렇게
그렇게
만들어 주세요

작가의 말

얼마나 말하고 싶었는지 모르겠습니다. 사랑과 증오,
내 안에 있던 감정들, 그리고 내가 느끼는 아픔을 꺼낸
시입니다.
차례인 Ⅰ. 愛, Ⅱ. 애정, Ⅲ. 애증은 사랑의 순서를
나타냈습니다. 사랑을 시작하며 생긴 불안과 고민,
행복의 감정을 담은 Ⅰ. 愛과 너무 사랑한 나머지
미움까지도 삼켜버린 Ⅲ. 애증 사이 Ⅱ. 애정. 이 모든
것들을 '내가 가진 고민을 남들도 할까?'란 생각에
썼습니다.
해석은 달지 않겠습니다. 읽으며 느끼신 그대로 감정을
갖고 기억해주십사 합니다. 특히 Ⅲ. 애증의 '네
이름엔 파도가 치네'는 나조차도 정확히 해석할 수
없습니다. 당신이 느낀 그 바가, 정답일지도 모릅니다.
내가 느낀 감정이 당신에게도 전달되었으면
좋겠습니다.
감사합니다.